J'apprends
à lir~
avec Sami

D1643364

Sami
rentre au CE1

Emmanuelle Massonaud

hachette
ÉDUCATION

Couverture : Mélissa Chalot
Maquette intérieure : Mélissa Chalot
Mise en pages : Typo-Virgule
Illustrations : Thérèse Bonté
Édition : Laurence Lesbre
Relecture ortho-typo : Jean-Pierre Leblan

ISBN : 978-2-01-701349-5
© Hachette Livre 2017.

Achevé d'imprimer en Espagne par Unigraf
Dépôt légal : Mai 2019 - Édition 05 - 74/2234/7

Les personnages de l'histoire

Sami

Tom

Léo

Basile

Il fait beau, beau comme un jour de vacances. Et pourtant, après-demain, c'est déjà la rentrée. Sami a retrouvé ses amis pour disputer une partie de foot endiablée.

– Vite à boire ! demande Sami à bout de souffle.

– Pourquoi les vacances sont finies ? soupire Basile.

– Soyons fiers de nous, dit Louis, demain nous serons des CE1 !

– Évidemment que tu es ravi, ronchonne Léo, tu es toujours le chouchou !

– Julie dit que madame Myrtille, la maîtresse, était super sympa, annonce Sami à ses copains.

– Alors ça, ça m'étonnerait ! Léna m'a dit qu'elle donnait plein de devoirs et des punitions de plusieurs pages quand on fait UNE seule faute ! dit Tom.

– Des fautes et des taches ! Hein, Basile ? se moque Sami hilare.

– C'est malin... Vous dites ça pour me faire peur, s'inquiète Basile.

Même si c'est encore l'été, rentrer à l'école en tenue de plage est déconseillé…

– Sami, dit Maman, essaye ce pantalon s'il te plaît. Et Julie passe ton gilet.

– Petit problème, dit Julie, regarde où m'arrivent les manches !

– Énorme problème, mon pantalon a rétréci à la machine !

s'écrie Sami.

– Mais non Sami, tu as tellement grandi ! Il va falloir faire quelques courses, conclut Maman.

Sami termine son cartable, mais il est soudain grognon : il n'aime plus son cahier de texte.

– Mais c'est toi qui l'as choisi, ouistiti ! lui dit Julie.

– Oui, mais c'était pendant les vacances. J'ai changé d'avis. Je voudrais un agenda comme toi ! Avec une page par jour et un élastique !

– Pas question : pas d'agenda avant le CE2 ! Tu es trop petit, c'est tout... répond Julie, chipie.

– C'est pas juste... bougonne Sami.

Le lendemain matin, tous les enfants arrivent devant l'école. Les papas et les mamans sont là aussi. On ne les a jamais vus aussi agités :

– Amuse-toi bien, ma crevette !

– À ce soir, mon poussin !

12

– Travaille bien, mon chaton !

– Sois bien sage, mon canard !

– Papa pense à toi, mon lapin !

Décidément, à les entendre c'est une véritable ménagerie qui fait sa rentrée. Les parents sont trop mignons !

Dans la cour, c'est l'effervescence et la joie. Il s'est passé tant de choses pendant les vacances qu'une seule journée ne suffira pas pour tout se raconter. Un peu à l'écart, les CP sont anxieux. Que va-t-il se passer ?

– Oh, regardez-moi ces tous petits CP ! Comme ils sont mignons avec leurs gros cartables ! rigole Basile.

– Arrête Basile ! s'énerve Sami. Tu vas les faire pleurer.

Ne vous inquiétez pas les CP, il fait son intéressant...

15

Ça y est, la cloche sonne !

Chacun va rejoindre sa classe et découvrir sa nouvelle maîtresse.

– C'est bizarre, il y a la maîtresse des CP et des CE2, mais

je ne vois pas madame Myrtille, s'inquiète Tom.

– Bah, elle doit être dans

la classe, répond Sami.

– Ou peut-être qu'elle est malade

et qu'on va rentrer chez nous,

suggère Basile, malicieux.

17

– Chers camarades, annonce
Louis, nous n'allons pas avoir
de maîtresse...

– Ouais !

– ...nous allons avoir UN MAÎTRE !

– Quoi ?

– Il paraît qu'on n'a pas intérêt
à faire les marioles,
prévient Louis.

– Ça veut dire quoi « mariole » ?
demande Basile, inquiet.

– Ça veut dire les « imbéciles »,
les « insupportables », les « malins »,
les « idiots »... rétorque Sami.

CE1

19

20

Dans la classe, la Directrice accueille les CE1 avec un grand monsieur qui, s'il était habillé tout en rouge, ressemblerait comme deux gouttes d'eau au Père Noël.

– Je vous présente monsieur Lachance, votre nouveau maître, dit la Directrice. Madame Myrtille vient d'avoir un bébé et elle ne rentrera qu'après les vacances de la Toussaint. Je compte sur vous pour réserver le meilleur accueil à votre nouveau maître. Bonne rentrée à tous !

– Bonjour les enfants, je m'appelle
Léon Lachance. Je me réjouis
d'être votre maître pendant que
madame Myrtille se dévoue toute
entière à Bébé Myrtille. Votre esprit
rêvasse encore en vacances,
à la campagne ou à la mer...
Essayons d'atterrir en douceur.
Prenez votre cahier bleu comme
le ciel et découvrons ensemble
une petite ritournelle.

– Il est trop bizarre ! dit Zoé.

– Taisez-vous... murmure Louis.

23

– Voici une petite comptine de mon cru, propose le maître.

Il se met à réciter et à mimer d'une voix tantôt fluette, tantôt plus grave que celle d'un baryton.

« Viens mon chou, mon bijou, mon joujou, sur mes genoux et jette des cailloux à ce hibou plein de poux ».

Après s'être trémoussé comme un beau diable, monsieur Lachance ajoute :

– Et retenez bien ceci : tous ces jolis mots en *ou* sont les seuls qui prennent un x au pluriel.

25

– À votre tour maintenant, dit monsieur Lachance aux élèves. Ne restez pas assis ! Allons ! Mettez-y du cœur !

Alors les CE1, en une joyeuse chorale, se mettent à chanter à tue-tête : « Viens mon chou, mon bijou, mon joujou, sur mes genoux et jette des cailloux à ce hibou plein de poux ! »

À la fin de la chanson, monsieur Lachance interroge Basile pour lui demander avec quoi s'écrit le pluriel de tous ces mots en *ou*. Et, fier comme jamais, Basile répond :

– Avec un *x*, monsieur !

– C'est gagné ! le félicite monsieur Lachance.

À la sortie de leur premier jour d'école, les CE1 sont tout joyeux.

– Alors, demande Sami à Julie, c'est comment le CE2 ?

– On a madame Jonquille, répond Julie, elle est trop gentille.

– Mais elle attend un bébé et part à la Toussaint, ajoute Léna dépitée.

– Écoutez les filles, dit Tom, si vous êtes choux avec nous...

– Oui, choux comme des chouchous, ajoute Sami, peut-être qu'on vous prêtera monsieur Lachance. C'est un bijou !

As-tu bien compris l'histoire ?

1 À quoi Sami et ses amis jouent-ils au début de l'histoire ?

2 Qui n'a pas envie que les vacances se terminent ?

3 Qui est le chouchou de la classe ?

4 Pourquoi madame Myrtille n'est pas là le jour de la rentrée ?

5 Qui est le remplaçant de madame Myrtille ?

6 Sais-tu ce que veut dire une ritournelle ?

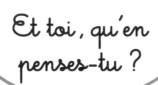

Et toi, qu'en penses-tu ?

Comment s'appelle ton maître ou ta maîtresse ?

Ça te fait quoi d'être un(e) CE1 ?

Est-ce que tu te moques des CP ou est-ce que tu les aides ?

As-tu appris des chansons à l'école comme Sami et ses amis ?

Comment s'est passée ta rentrée en CE1 ? Tu as retrouvé des copains ou des copines ? ou tu t'es fait de nouveaux amis ?

As-tu lu tous les Sami et Julie ?

Niveau 1 — Début de CP

 Tobi est malade
 Le tipi de Sami
 Miam Miam !
 Super Sami !
 Le CP de Sami
 Vive Noël !
 La nuit

La dispute
La liste de Sami
Bonne fête Papa !
Sami s'est perdu
La malle de Papi
Sami à Paris
Sami est malade

Niveau 2 — Milieu de CP

 Sami sous la pluie
 Sami a des poux
 L'amoureux de Julie
 Sami et Julie attendent Noël
 L'anniversaire de Julie
 Il neige !
 Sami à la ferme

Sami et Julie cherchent les œufs
Sami et Julie en classe de découverte
La galette des rois
Le zoo
La fête des mères
Le carnaval de Sami et Julie
Sami fait de la magie

Niveau 3 — Fin de CP

 Le château
 La dent de Julie
 Les groseilles
 Plouf !
 Le spectacle de Sami et Julie
 Le mariage

Fous de Foot !
Sami et Julie champions de ski
Sami et les pompiers

Niveau CE1

 Sami rentre au CE1
 Sami et Julie fêtent Halloween
 Le réveillon de Sami et Julie
 Sami et Julie font des crêpes
 Le match de foot de Sami et Julie
 Vive les vacances !
 La nouvelle élève

Tom va avoir une petite sœur
Sami et Julie à Londres
Julie veut devenir vétérinaire
Le défi nature de Sami et Julie

hachette ÉDUCATION